KB062256

덕후는 사랑으로 자란다

윤아킴

차례

들어가는 말

[별첨] 덕후 일기 엿보기

작가의 말

많은 사람의 추천을 받아 보러 간 영화 <엘리멘탈>의 이상한
부분에서 눈물이 났다. 두 주인공이 사랑을 말하는 장면이
나오기도 전, 아버지의 감동적인 대사가 나오기도 전이었다.

남주인공이 여주인공에게 "왜 다른 사람이 네 인생을 어떻게
살지 말하게 내버려 둬?(Why does anyone get to tell you
what you can do in your life?)" 하고 물어보는 장면이었다.
여주인공은 너는 아무것도 모른다면서 자신의 상황과 너의

상황이 다르다고 얘기하지만, 여주인공도 아마 느꼈을 것이다. 다른 사람이 나의 인생에 훈수를 놓게 내버려 두는 주체는 나 자신이라는 것을.

언제까지나 피해자처럼 살 순 없다. 어릴 때는 살아남기 위해 어쩔 수 없이 결정을 내리거나 순응해야 했던 순간들이 있었다. 그러나 이제 삼십몇 년 산 인생에서 그러한 핑계를 대며 머물러 있을 순 없다. 우리는 조금은 더 적극적으로 얘기하고 쟁취하고 실패하고 싸워서 나를 찾아줘야 한다.

이 이야기들은 지금의 나를 있게 해준 시간을 뒤로하고, 진짜 나를 만나기 위해 나아갔던 시간의 기록이다. 그것은 아이돌을 좋아하는 덕질로부터 시작된 조금은 우습고 어이없는 얘기가 될 수도 있겠지만, 적어도 나의 인생에 있어서는 사랑으로 일궈낸 나만의 작은 시작이고 성장이었다. 어릴 때부터, 학년이 바뀔 때마다 좋아하는 친구가 바뀌어 온 나에게는 어쩌면 너무나도 당연한 극약처방이었다.

너무나 사랑하는 사람들을 통해서만 변하는 어떤 삼십 대
여자의 작은 변화를 따라와 주면 좋을 것 같다. 대단히
멋지거나 대단히 잘나지도, 예쁘지도 않지만 언제나 주체할 수
없는 사랑의 마음을 갖고서 그런 마음을 나누는 친구들과 함께
일군 나의 작은 변화들. 지금의 내가 되게 해준 순간들을
이곳에 풀어내려고 한다.

*그룹 이름과 최애 이름을 이니셜로 표시하였다. 누구인지
숨기려는 의도는 아닌데, 좋아하는 그룹과 최애 이름을 자꾸
쓰면 스스로 마음이 너무 들떠 글 진행이 어려워, 조금 더
글쓰기에 집중하기 위한 장치임을 말하고 싶다. 어렵지 않게
유추할 수 있을 것인데, 글을 읽는 데 방해가 되지 않았으면
좋겠다.

시작은 서툴게

네가
아이돌을 좋아한다니

대학 때부터 알고 지낸 교회 친구가 좋아하는 아이돌이 속한 소속사 직원일 때의 심경을 설명하시오. (10점)

사실은 그 친구가 그 소속사에 다닌다는 건 오래전부터 알고 있었다. 그러나 용기를 내 나의 얘기를 알린 것은 그 아이돌을 덕질한 지 2년 반이나 지난 후였다. 그때 얘기한 이유는, 그쯤 되자 나는 그 아이돌을 향한 마음이 너무 커져 더 이상 부끄러울 것이 없는 지경에 이르렀고, 또 그 친구가 언제까지 그 소속사에 있을지 몰랐기 때문에 더 늦기 전에 알리고 싶었기 때문이다. 친구에게 "사실 너희 소속 아티스트를 진짜 좋아해, 생각보다 엄청 많이 좋아해, 좋아한 지도 벌써 3년 째야"라며 아주 오랜만에 정성스러운 연락을 했을 때 친구의 첫 마디는 "네가 아이돌을 좋아한다니"였다. 지극히 정상적인 반응이었다. 평소의 나와 안 어울린다는 것쯤은 내가 가장 잘 알고 있었다.

대학 시절, 나는 집-학교-교회만 다니는 사람이었다. 어릴 때부터 그랬고, 대학 와서는 더욱 자유롭게 교회에서 살았다. 교회는 나의 사회였다. 거기서 일도 하고 친구도 사귀고 연애도 했다. 엑셀과 PPT를 배운 곳도 교회였고, 야구장 가서 야구 보는 법을 배우고, 볼링 치는 방법을 배운 것도 교회 친구들과 어른들을 통해서였다. 가족을 제외한 사람들과 처음으로 해외에 가본 것도 교회 사람들과 단기 선교를 가기 위함이었고, 처음으로 어른들과 싸워서 운 곳도 교회였다.

교회는 나에게 안전하고 보증이 된 울타리였고, 그곳에서 즐거웠고 신났고 또 새로운 경험들도 많이 했다. 당연히 설교 말씀에서 하지 말라셨던 일들은 하지 않으려 했고, 죄에 대해서, 술에 대해서, 돈과 사랑에 대해서 엄청나게 많은 정의를 내릴 때 교회에서 알려주는 것들을 큰 무리 없이 흡수하였었다. 그것은 나의 장점이자 단점이었다. 좋아하는 사람들이 알려주는 것에 대해서는 아무런 무리 없이 받아들이는 것 말이다. 그렇게 나는 꽤 튼튼한 신앙을 가진 제자로서, 언니로서, 동생으로서 나의 정체성을 확립해 갔다.

그러던 사람이 왜 갑자기 아이돌에 빠졌냐 하면, 그건 나도 모르겠다.

좋아했던 첫 아이돌 W는 유명한 101명 오디션 프로그램을 통해 알게 되었다. 원래 아이돌이나 오디션 프로에 크게 관심이 없었는데 어느 날 그 프로그램을 우연히 보게 되었고, 그중에 W가 유난히 눈에 띄었다. W는 카메라에 잘 잡히지 않았는데, '발견한 것'이라는 표현이 맞겠다.

이제 와 말하지만, 나의 관심을 끈 W의 모습은 어떤 멋진 무대나 배틀 실력은 아니었다. 그런 것에 나는 애당초 관심도, 취향도 없었기 때문에 그런 모습에 입덕하기엔 너무 문외한이었다. 그러나 W가 경연 무대의 리더를 맡고서, 다른 팀원과의 풀리지 않는 문제 때문에 고민하는 모습에 관심이 생겼다. 그 문제는 어쩌면 자존심의 문제였는데, 춤으로 오랜 시간 활동했던 팀원과 춤에 대한 자신감이 남달랐던 팀장 W의 부딪힘이었다. 나이로나, 연차로나 본인보다 경력이 많은 팀원의 말을 따르는 것이 내가 했을 행동이지만, W는 계속해서 작지만 굽히지 않는 목소리로 본인의 춤 동작이 맞다고 주장하고 있었다. 그리고 내가 보기에도 W의 의견이 맞긴 했다.

결국 조금의 불화까지 만들어 내고도 굽히지 않는 그 모습을 보면서 관심이 생길 수밖에 없었다. 나라면 하지 못할 일을 해내는 사람, 강하게 어필하진 않지만, 고집을 꺾지 않는 모습은 어디서 비롯되는 것인지 궁금했다. W는 속마음 인터뷰 때 쑥스럽게 말했다. "잘하고 싶어요, 잘하고 싶은데…" 그러면서

수줍어서 앞에 나서지 못하는 본인의 모습을 답답해했다.
그런데 W는 주목받아 마땅한 춤과 랩 실력을 갖추고 있는
친구였다. 괜스레 내가 나서고 싶었던 순간이었다. '이 친구…!
데뷔해야 하는데!! 내가 도와줘야겠다!!' 마음속에 그런 의욕이
불타오르는 것이다. 내가 보는 W의 멋진 모습을 온 세상이
봐줬으면 싶었다. 내가 볼 때 W는 크게 될 친구인데, 더 많은
사람이 그걸 알아서 W가 꼭 데뷔했으면 싶었다.

나는 W가 데뷔하는 것만 보면 될 줄 알았다. 그리고 실제로
그럴 계획이기도 했다. 당시 내 목표는 W의 데뷔였고, 주변에도
수줍게 말하고 다녔다. W가 데뷔했음 좋겠는데 투표 좀 해줄
수 있냐고 안면몰수하고 직장 동료들에게, 가족들에게 입을
벌려 얘기했다. 잠깐 지나가는 'crush(가볍게 좋아하는 마음)'
같은 것으로 생각했다. 그래서 나는 W의 데뷔를 응원했다.

하지만, 그건 나라는 사람에 대해서 잘 몰랐기 때문에 했던
착각이었다. 이전의 나는 연애를 해도 3년 이상 했고 바로 직전
연애는 6년이나 끌어왔다. 당연히 누군가가 데뷔하고 잘 사는

것만 보고 좋아하는 마음을 끝낼 수 없는 사람이라는 것을
알았어야 했는데, 나의 느린 덕질은 그렇게 시작되었다.

덕질 가계부가
필요하구나

아이돌을 좋아하기 시작하자 한 가지 큰 변화가 생겼다. 그건 이전에 없었던 지출이 늘어난 것이다. 앞에도 설명했듯이 나는 좀 노잼의 삶을 살고 있었기 때문에, 친구들과 밥을 먹거나 영화 보기, 가끔 가는 여행 정도에만 돈을 쓰고 살았다. 큰돈을 벌지 못했기 때문에 돈을 많이 쓰지도 못했는데, 덕후가 되고 난 후에는 씀씀이가 180도 바뀌었다. 모름지기 덕질이란 돈이 엄청나게 드는 취미다.

내 아이돌이 잡지 커버를 장식하면 그 잡지를 사고 싶고, 앨범은 한 장에 2만 원 가까이 되는데 키트 앨범, 플랫폼 앨범, 포토 카드 앨범, 주얼 앨범 등 버전 별로 다 사면 8장에서 10장은 기본이 된다.

하지만 그게 끝이 아니다. 어느 정도 인기 있는 아이돌들은 광고를 찍는다. 광고 상품이야 필요 없으면 안 사면 되지만, 중요한 건 그 광고 상품에 끼워주는 포토 카드(포카라고 줄여 부른다)나 작은 엽서 또는 친필 사인이 들어간 브로마이드 (포스터)는 꼭 갖고 싶다는 것이다. 또, 내돌 (아이돌의 줄임말)이 광고하는 상품이 잘 되어야지만 다른 광고도 들어오기 때문에 조금 맘에 들지 않아도 결제하게 된다. 팬덤의 '화력'은 곧 내 돌의 힘이기 때문에 그게 필요하든 필요치 않든, 그게 과자든, 화장품, 향수, 옷이든 주저 없이 결제했다. 덕질을 시작하고서는 이전에는 구매해 보지 않았던 품목의 지출이 늘어났다.

무분별한 불나방처럼 살지 않기 위해, 파워 J인 나는 덕질

가계부를 쓰기 시작했다. 그것은 소비를 조금이라도
계획적으로 하고 싶은 바람에서 시작되었고, 기록하다가 보면
스스로를 좀 자제할 수 있지 않을까 싶어서 썼다. 때론
가계부를 보면서 나를 질책했고, 때로는 뿌듯하기도 했다.
어떻게 하면 더 줄일 수 있을까 고민하다가도 가계부에 적힌
목록들이 하나같이 갖고 싶었던 것(상품 말고 포카라든가,
포스터라든가)이라서 기분이 좋아지고 말았다.

그렇게 2017년부터 썼던 가계부가 벌써 6년째다. 그동안
지출은 줄지 않고 오히려 늘어났으며 매해 정점을 찍어 더욱
늘어나고만 있다. 하지만 그 돈과 비례했을 때 나의 행복은
더욱 커서, 솔직히 아깝지는 않다. 나는 작은 사진 종이
포카에도 기쁨을 느낄 수 있는 사람이 되었고, 그 종이를 갖기
위해 몇만 원을 아낌없이 쓰는 마음 부자가 되어 있었다.

최근에는 팬싸(팬사인회의 줄임말)를 가기 시작하면서 조금 더
지출이 많아졌다. W를 좋아하는 초기에는 너무 큰 비용을
쓰지는 못할 것 같아서 팬싸 응모조차 잘 하지 않았는데, W의

프로젝트 그룹 활동이 끝나고, 후속 그룹으로 활동할 때는
팬싸도 다니기 시작했다. 자주는 아니지만 앨범을 발매할
때마다 한 번 정도 팬싸에 응모하여 당첨되었다. 코로나 전에는
1시간이 넘게 같은 공간에서 그를 구경하며 있을 수 있는 대면
팬싸를 갔고, 코로나 때는 1~2분가량의 영상통화 팬싸를 갔다.

팬싸는 무대를 보는 것과는 또 다른 기쁨이었다. 멀리서
응원하며 굿즈를 모으고, 콘서트에서 신나게 놀고, 최애가
나오는 영상을 편집하는 것도 너무 행복했다. 하지만 내가 하는
말을 최애가 듣고 그에 맞는 대답을 하는 기쁨은 상상을
초월했다. 떨렸지만 매번 준비해 간 멘트를 열심히 뽐냈고,
감동을 주거나 사랑을 줄 수 있어서 뿌듯함을 느끼곤 했다.

소비는 날마다 늘었지만, 소비를 통해 없었던 취향을 찾기도
했다. 유튜브 '디에디트' 채널의 영상에서 '취향은 소비를
통해서 확인할 수 있다'고 말한 적이 있다. 이전에는 취향이
없다고 생각했는데, 그건 그냥 소비를 하지 않았기 때문이었다.
소비를 하면서 의류나 기계보다는 지류에 엄청난 관심을 갖고

고래일지

파일 수정 보기 삽입 서식 데이터 도구 확장 프로그램 도움말

메뉴 100% ₩ % .0 .00 123 맑은 ... 11 B

fx 번

번	날짜	달	금액	내역
1	230103	1월	[illegible]	프메 3인 결제
2	230106	1월	[illegible]	마뮤테 2장 삼
3	230110	1월	[illegible]	[illegible] 홍대 위드뮤 럭드 사다 줌
4	230114	1월	[illegible]	[illegible] 미니 액자 2개 삼
5	230113	1월	[illegible]	[illegible]니에게 포카북삼 (민혁)
6	230120	1월	[illegible]	팝업스토어 또 멋지게 사줬어
7	230119	1월	[illegible]	리즌을 또 2종을 사버림 (럭드를 해야하니깐요)
8	230121	1월	[illegible]	키트를 또 사서 [illegible]이랑 교환해서 드디어 민혁이를 구해써
9	230121	1월	[illegible]	민혁이 액자를 구입함...A3..
10	230122	1월	[illegible]	올영 플로운을 3개 구입함...포카 3개
11	230203	2월	[illegible]	포브스 잡지를 사버림
12	230209	2월	[illegible]	샤포 2개 샀는데 민혁이 포카 나옴 개이득 :)

나의 덕질 가계부

있다는 것을 알게 되었다. 좋아하는 색깔이 보라색이라는 것도
그쯤 알게 되었고, 실반지, 실팔지 등 소소한 액세서리를
좋아하는 것도 다 소비를 열심히 한 후에 알게 되었다.

 아티스트의 생각이나 아이디어가 들어간 것이면 소유욕이
더욱더 폭발한다. W 이후에 좋아하게 된 아이돌 M은 손재주가
좋아 그림도 곧잘 그리고 굿즈에 대한 아이디어도 뛰어나서
엄청난 굿즈를 만들어 낸다. M은 고래를 굉장히 좋아해서 그의
굿즈는 온통 고래 밭이다. 본인이 그린 고래 꼬리가 새겨진
맨투맨, 고래를 그린 거울, 직접 디자인한 고래 모양의 슬리퍼,
고래 옷을 입은 강아지 인형 등 매년 엄청난 굿즈를 만든다.
그의 그런 고래 사랑이 깊이 새겨져 이제는 고래 모양만 보면
뭐든 사고 있는 나를 발견한다. 갑자기 고래를 좋아하는 취향이
생겨버렸다.

가계부를 쓰기 시작한 첫 목적 '소비를 줄이는 것'은 성공하지
못했지만, 이제 소비에 대한 부담은 조금 줄고 즐거움이
늘어났다. 그것은 어찌 보면 돈을 쓰는 나에 대한 허락이고,

조금의 자유다. 무분별하게 소비하여 빚을 지거나 감당할 수 없다면 문제가 되겠지만, 적당한 선 안에서 기분 좋은 소비는 스스로를 소중하게 여기는 또 하나의 방법인 것 같다. 오늘도 자유와 과소비의 아슬아슬한 선 안에서 행복을 느끼고 있다.

고래 모양 굿즈들

첫 아이돌로 끝나지 않은
덕질

첫 아이돌을 데뷔 시키면 끝날 줄 알았던 덕질은 3년 이상 이어졌고, 코로나 시대에 밖에 나가지도 못하고 유튜브 알고리즘이 이끄는 대로 살다가 결국 다른 아이돌의 영상을 보고, 새로운 아이돌을 좋아하기 시작했다.

M을 왜 좋아하냐고 물어보면 할 말이 너무 많음과 동시에 또 할 말이 없다. 그건 하나의 이유만으로 설명하긴 어려운데 또 여러 가지 이유를 들어도 마뜩잖다. 하지만 어쩌다가 M을 좋아하게

됐는지는 또렷이 기억나기 때문에 그건 얘기할 수 있다.

당시 M은 단독 라이브쇼(보이는 라디오쇼)를 진행하고 있었다. 그래서 그 방송에서 한 얘기를 보면서 처음으로 M의 존재를 알게 되었다. 후에 알게 된 것으로 M은 그쯤 엄청나게 활발하게 일하고 있어서, 고정 MC, 고정 라이브쇼, 고정 예능 등으로 몸이 10개라도 부족한 활동을 하고 있었다. 덕분에 나 같은 사람들의 유튜브 알고리즘에 뜨기 시작했고, 당시 열혈 W의 지지자였던 순덕(한 사람만 좋아하는 팬을 말한다. 아마도 '순수한 덕후' 줄임말)은 그런 영상들은 누르지도 않고 넘어가다, 인상적인 영상을 보고 말았다.

그 영상에서 M은 보통 본인은 최애(멤버가 여러 명인 그룹에서 가장 좋아하는 멤버를 말한다)가 아니라 차애(그룹 내 두 번째로 좋아하는 멤버)로 사람들이 좋아하는데, 왜 자기는 최애가 아니고 차애냐며 좀 섭섭하다고 솔직하게 토로했다. 영상을 보면서 '어라 이 사람 뭐지' 했다. 솔직하게 자신의 섭섭함도 드러내고, 투정도 부리면서 자신을 차애로 둔 팬이

많다는 상황까지 잘 파악하고 있는 게 너무 웃겼다. 그
서운함을 말하는 모습이 조금 귀엽기도 했다.

한 영상을 보니깐 다른 영상도 은근히 추천해 주는 알고리즘을
따라 여러 영상을 봤다. 아이돌학 교수님처럼 팬싸는 왜 중요한
것이며, 어떤 자세로 임해야 하는지 조곤조곤 알려주는 영상은
어떤 그룹 팬이라도 공감하며 좋아할 만한 영상이다. 팬들이
어떤 노력을 하고서 팬싸에 가는 것인지 정확히 파악한 그
모습에 호감이 생겼다. 이토록 똑 부러진 사고를 하는 사람은
어떻게 생겨나는 것일까? 평범하지 않은 그의 사고 구조가
너무 궁금하고 신기했다.

그 후로 알고리즘은 M 그룹의 재미난 영상들을 추천했다.
멤버들이 서로 투닥대면서도 아끼는 모습을 봤을 때의 충격은
잊을 수가 없었다. 오랜 시간 함께하다 보면 예의가 없어지기도
하고, 차갑게 변하기도 할 법한데 이 그룹은 정말로 친구와
가족처럼 서로를 아끼고 존중하고 배려하고 있었다. 의견
차이도 있지만 더 나아지기 위한 의견 대립을 할 때면

합리적으로 풀어가는 그들의 관계가 너무 아름다웠다.

'왜 여태까지 이 그룹을 잘 알지 못했지!' 안타까웠고, 이 그룹의 무대는 어떨지 궁금해졌다. 언제부터인가 닥치는 대로 뜨는 영상들을 보고 무대를 찾아보며 좋아하는 스타일의 곡들을 플레이리스트에 추가하기 시작한 나는, 부정할 수 없이 입덕했음을 인정해야 했다. 연차가 꽤 된 상태에서 좋아하기 시작했기 때문에 따라잡을 것이 많아 바빴다.

국내 활동뿐 아니라 일본 활동, 미국 활동까지 활발하게 했던 그들을 보고 있자니, 자극이 되기도, 안타깝기도 했다. 나도 열심히 살아야겠다는 생각이 드는 한편 이렇게 열심히 살았는데 왜 사람들이 잘 모를까 안타깝기도 했다. 실력도 좋고 성격도 좋고 잘생기기도 한 이 그룹을 더욱 알고 싶어졌고, 그때쯤엔 이미 W보다는 M에 들인 시간이 많아졌다.

그렇게 M에게 빠져들기 시작했다.

도전은 호기롭게

평창?
기꺼이 가주지

첫 오프라인 콘서트 경험은 평창이었다.

W를 좋아하기 시작한 지 약 3달이 지났을 때, 평창 드림
콘서트에 W그룹이 출연한다는 것을 알게 되었다. 그쯤 나는
W를 본 적이 없는 게 너무 서운했다. 연말에 서울에서 열리는
팬 콘서트 티케팅에 실패도 했었고, 데뷔 쇼케이스 티케팅에도
실패했었다. 공식 팬클럽에 가입했지만 300~400명만 들어갈
수 있는 공방(공개 음악방송의 줄임말, 티케팅과 비슷한

방법으로 선착순으로 신청하여 성공해야만 갈 수 있다)도
번번이 탈락했다. 당첨 인원이 적고, 그룹 인기가 많은 것도
문제였지만 티케팅과 댓림픽(정해진 시간에 댓글을 단
선착순으로 들어가는 방식)을 해본 적 없는 머글(덕후가 아닌
일반인을 이르는 말)이, 치열한 티케팅에 성공할 확률은 너무
적었다. 그래서 절망이 찾아왔었다.

'이렇게 오랜 시간 응원하며 데뷔하는 과정을 다 지켜봤는데,
얼굴 한 번 못 보고 이번 연도를 끝낼 순 없어.' 평창에 가야
했다.

평창에 가는 게 뭐가 대수로운 일이냐 할 수 있겠지만,
당시에는 대수로운 일이었다. 운전 면허는 있지만 차도 없고,
운전해 본 경험도 별로 없고, 모든 여행은 친구나 가족과
함께였지 혼자 해본 적도 없었다. 게다가 콘서트를 가기 위해서
서울이 아닌 곳으로 간다는 것 자체가 해본 적이 없는 파격적인
결정이었다. 추가로 콘서트 날짜가 11월이었는데, 콘서트
장소는 야외였다. 바람이 쌩쌩 부는 평창까지 가진 않겠다는

팬들로 인해 표가 남아도는 현상마저 발생했다. 그래서 마음 먹었다. 평창에 가기로.

표를 구한 후에는 평창에 갈 방법이 필요했다. 열심히 서치하여 알게 된 '꽃가마'는 서울에서 먼 곳에서 열리는 콘서트나 페스티벌의 왕복 버스 서비스이다. 서울의 주요 장소에서 출발하여 콘서트를 갔다가, 콘서트 종료 후 되돌아오는 버스까지 알찬 루트가 준비되어 있었다. 차가 없고 운전을 못하는 나에게는 딱 맞는 방식이어서 적당한 시간으로 집에서 가장 가까운 위치에 도착하는 것으로 예매했다.

다음으로 준비한 것은 한파에 대비할 방한용품들이었다. 공연 전날 평창에 눈이 와서 야외무대가 홀딱 젖어 치우기 바쁘다는 글들이 속속들이 보였다. 눈도 올 정도로 춥고 바람 부는 곳에서 적어도 4시간은 앉아 공연을 봐야 했기에 단단히 준비해야 했다. 스키 바지에 롱패딩과 목도리, 모자, 장갑을 끼고 여분의 양말 등을 야무지게 챙겼다. 보온병에 따뜻한 물과 손난로, 붙이는 핫팩 그리고 무릎 담요까지 가방에 챙겼다. 해가 있을 때는 그래도 괜찮았는데 해가 지고 나니 무대에 서 있는 가수들이 덜덜 떨리는 게 보일 정도로 추웠는데, 추운 기억은 별로 없을 정도로 괜찮게 있다가 왔다.

마지막으로 내 가수가 면봉으로 보일 것을 대비해서 망원경을 빌렸다. 한 번만 쓸 건데 망원경을 사기에는 너무 비싸고(5~6만 원 정도), 2만 원에 대여해 준다는 사람이 있길래 직거래를 통해 대여까지 했다. 빌리고서 조금 후회한 것은 빌려줬던 분이 흡연자였는지 망원경 가방과 망원경에서 온통 담배 냄새가 심하게 배어서 꽤나 불쾌했었다. 아직도 그 케케묵은 냄새가 기억나는데, 이후에 비슷한 모델을 사버렸고, 그 망원경은 지금 20번도 넘는 오프에 동행했다. 구매에 너무나 신중했던 과거의 기억이다. (요즘엔 그냥 덕질에 필요한 물품은 망설임 없이 산다)처음 본 W의 실물 후기? 너무 멀리 있어서 이게 본 건지 뭔지 구분은 잘 안 가지만, 너무너무 반갑고 좋았다. 뭐랄까, 평생을 사랑하기로 마음먹었다는 표현이 정확할 것 같다. 면봉처럼 작아 보였지만, 망원경 없이도 꼭

망원경으로 확대한 것 마냥 임팩트가 남았고, 맨눈으로 본
무대는 그저 좋았다. 추운 날씨에도 귀엽고 해맑게 웃고 떠드는
W를 보니 마음마저 따뜻해졌고, 무대가 끝난 후 뿌듯한 마음을
안고 꽃가마를 타고 돌아왔다. 평창 경기장에 들어가고 나가는
길이 너무 작아서 교통 체증이 심했는데, 앵콜까지 다 보지
않고 조금 일찍 나오니 운 좋게 빨리 출발해서 교통 체증도
겪지 않고 따뜻한 버스 안에서 자면서 집까지 잘 도착했다.

너무 재미있었다. 그래서 또 하고 싶은 마음이 들었다.

2017년 11월 4일 일기

W는 춤도 잘 추고 장난도 많이 치고 너무 해맑고 귀엽게 웃었다. 키가 크진 않았지만 비율이 좋았고 티비에서 보는 그대로였다. 보고 있어도 보고싶고 왜 이렇게 노래들이 짧았는지, 빨리 끝났는지 모르겠다. W도 추웠던 것 같았지만 별 내색하지 않았다. 진짜 너무 즐거운 마음이다. 엄청 추웠는데 W를 보는 순간 사르르 녹는 것 같았다

덕질로
먹고살 수는 없을까

서두에 결론부터 얘기해야겠다. 외국인 K-pop 팬들을 위해
기획했던 이 사업은 성공하지 못했다. 아니 시작조차 하지
못했다. 하지만 소중한 친구와 함께 기획해 본 소중한 경험이
너무 독특하고 자랑스러워서, 그리고 내 덕후 생활이 얼마나
나를 바꿔 놓았는지 보여주는 기념비적인 일이라 기록한다.

나는 이직이 잦은 편이다. 가장 오래 다녔던 직장이 2년 반 정도
되었는데, 그 직장을 제외하고 대부분의 직장을 1년 단위로

바꿔서 현재 다니고 있는 직장은 인생 여섯 번째 직장이다. K-pop 사업에 도전했던 것은 가장 오래 다녔던 직장을 그만두고 취직하기 위해서, 그러니까 네 번째 직장을 들어가기 전 공백기 때 얘기다.

함께 사업을 기획했던 친구는 비슷한 배경(하나님을 믿는 집안에서 자랐고, 어려서 해외 생활을 했었음)에 30살이 넘어 찬란한 덕질을 하기 시작했다는 점에서, 또 구직 중이라 공통점이 많았다. 우리는 만날 때마다 몇 시간이고 대화를 나눴다. 서로의 덕질과 인생에 대해, 무엇보다 신앙에 관해 얘기를 한참 했다. 우리가 좋아하는 대상이 '아이돌'로 불린다는 것 자체가, '우상'을 섬기는 것 같아 하나님을 믿는 사람으로서 죄책감을 떨칠 수가 없었다. 그럼에도 불구하고 '이렇게 좋고 재밌는 경험을 하는 덕질이 과연 나쁜 것일까, 이렇게 우리가 기뻐하고 즐거워하는데 하나님께서 정말 이걸 싫어하실까'에 대해 궁금해하며 자주 토론했다.

더욱 자주 얘기한 것은 '어떻게 하면 이 즐겁고 재미나고

신나는 덕질로 돈을 벌 수 있을까?'였다. 구직 중이었던 우리는
사실은 취직하고 싶지도 않은 회사에 지원하고 탈락하고를
반복하고 있었다. 어떤 곳을 가도 즐거울 것 같지 않았고,
덕질을 하는 것만큼이나 재밌는 일은 없다는 사실에
괴로워했다. 그러다 친구가 좋아하는 가수의 팝업스토어에
갔다가 사귄 외국인 친구로 인해 우리의 지경은 조금 더
넓어졌고, K-pop을 좋아해 한국으로 관광오는 사람들을 위한
서비스를 만들어 보면 어떨지 어렴풋이 얘기하기 시작했다.

처음에는 함께 인스타 계정을 운영했다. 둘 다 보라색을
좋아해서 '보라언니스(Bora Unnis)'로 이름을 짓고, K-pop과
관련된 단어를 영어로 설명하는 콘텐츠를 올리고, K-pop
가수들이 방문했던 음식점이나 장소들, 뮤직비디오 촬영지
등을 소개하며 외국인들에게 조금 더 많은 K-pop 정보를
알려주는 계정을 만들었다. K-pop 팬들의 경험을 모아서
콘텐츠를 만들어 기록하는 계정을 운영하기도 했다. 구글
폼으로 좋아하는 가수와 그 가수와 관련된 추억과 사진들을

받아 K-pop 이야기들을 게시하는 계정이었다.

또 유튜브 채널을 개설해서 유명한 소속사나, 소속사에서
운영하는 카페 등에 가는 영상을 찍었다. 장소를 소개하고
어떻게 갈 수 있는지 방법을 알려주는 등 열심히, 깜찍한
콘텐츠를 만들었다. 촬영이나 편집은 친구가 했고, 함께 영어로
대본을 만들어서 녹음하여 영상을 완성했다. 다음에는 어떠한
장소들을 갈지 토론하면서 이런저런 시도를 해보았다.
채널에서 구독자를 위한 무료 나눔 이벤트를 하면서 나름의
마케팅도 했었다.

그러나 이 모든 것은 돈으로 환산되지 않는 활동들이어서,
어떻게 하면 돈을 벌 수 있을까 고민하며 리서치하다가
에어비앤비에서 하는 '체험' 프로그램을 찾게 되었다.
에어비앤비에서는 숙박뿐 아니라 체험활동도 제공했는데
대표적인 우리나라 체험 중에는 '한국 전통 음식 만들기', '한복
입고 경복궁 투어', 'K-pop 안무 배우기' 등이 있었다.
에어비앤비에 체험을 등록하면 한국에 관광하러 오는

외국인들이 신청할 수 있는 식이었다.

우리는 K-pop 투어 체험을 만들어서 유명 K-pop 명소들을
함께 돌아다니며 설명하면 어떨까 고민했다. 이미 유튜브로
촬영했던 장소들을 우리가 잘 아니, 장소에 대한 정보를 조금
더 구체화하면 가능할 것 같았다. 홍보를 위해 외국인이 자주
가는 지역의 게스트하우스에 전단지를 붙일 생각까지 하면서
구체적으로 사업을 준비했다. 추후에는 K-pop 안무 배우기
같은 순서도 만들어 안무가와 함께 프로그램을 확장하면
어떨까, 참가한 사람들에게는 자체 제작한 포카를 나눠주면
어떨까, 아이디어가 끊이지 않았다. 사람들을 만나면 나눠줄,
좋아하는 가수 사진 뒤에 우리의 이름을 박은 명함까지
만들었다.

에어비앤비 체험을 등록하는 것도 나름 촘촘한 절차와 세부
내용이 필요해서 몇 번의 반려 끝에야 우리의 체험은
등록되었다. 설레었다. 사람들이 등록하지 않아도 문제였지만,
등록해도 문제였다, 전문 가이드도 아닌데 영어 조금 할 줄

BORA UNNIS
@boraunnis2929 구독자 52명 · 동영상 12개

Hi! we are BORA UNNIS:)

instagram.com/bora_unnis

🔔 구독중 ∨

홈   동영상   재생목록   커뮤니티   채널   정보   🔍

동영상 ▶ 모두 재생

Wanna know the story of Kpop fans? 1:08

[TOUR] SMTOWN & CAFE 2:59

[VLOG] BTS×ARMY Bookstore BOOKOFTHESOUL 2:37

[TOUR] 20 SPACE Cafe 2:41

[UNBOX] Ha Sung fan Xii unbox 2:08

TO ALL THE KPOP FANS OUT THERE··· Let's find out the...
조회수 58회 · 3년 전

[TOUR] KPOP ENT's CAFE: SM, SMTOWN & CAFE...
조회수 56회 · 3년 전

[VLOG] BOOK OF THE SOUL: A bookstore of the ARMYs, ...
조회수 46회 · 3년 전

[TOUR] KPOP ENT's CAFE: CUBE 20 SPACE Cafe...
조회수 44회 · 3년 전

[UNBOX] Unboxing Ha Sung Woon's 하성운   2nd offici...
조회수 145회 · 2년 전

자체 제작 콘텐츠들을
담은 유튜브

아는 우리 둘이 어떤 활동을 하게 될지 좀 무서웠기 때문이다.

등록을 마쳤을 때는 2020년 2월이었다.

2020년 1월 20일, 우리나라에 첫 코로나 환자가 나왔고, 2월 18일경에는 팬데믹의 시작점이었던 대구 확진이 시작되었다. 우리의 꿈은 시작도 하지 못한 채 막을 내렸다. 관광객은커녕 국경이 폐쇄되는 수준에 이르러, 체험은 무기한 연기로 표시해 둘 수밖에 없었다.

20년 중반에 스페인의 투어 업체에게 연락이 와서, 본인들의 온라인 투어 플랫폼에 참여해 보면 어떻겠냐는 제안까지 받고 비즈니스 미팅을 진행하는 등 희망의 끈을 놓지 않게 하는 사건들도 몇 있었다. 그러나 우리의 사업 계획은 귀여웠고 코로나는 장기적이었다. 장기화되는 팬데믹을 이겨낼 자신이 없었던 우리는 결국 다시 일하기 싫지만, 돈을 주는 직장으로 발을 옮겼고, 작은 도전은 마무리되었다.

그래도 우리의 도전이 헛됐다고 생각하지 않는다. 행복을 찾기 위해서, 진짜 좋아하는 일로 돈을 벌기 위해서, 할 수 있는 최선을 다했고 진지하게 임했다. 수익 모델로 보면 떼돈을 벌 수 있는 사업은 아니었지만, 실제로 진행했다 해도 꽤 즐겁고 가난하게 살았을 것 같다. 무엇보다 친구와 세운 가장 큰 원칙 '덕질을 하러 갈 일이 생기면, 다른 사람이 커버 쳐줌' 이 너무 마음에 들었다. 든든하고 설레는 원칙이었다.

친구와는 요즘에도 만나서 덕후 생활을 업데이트하고, 신앙의 고민을 털어놓고, 서로의 삶을 응원하는 좋은 동역자로 남아 있다. 친구는 계속해서 영상을 편집하고, 인플루언서들과 일하면서 덕업일치의 연결 끈을 놓지 않으려고 하고 있다. 나도 엔터 업계에서 일하게 되면서 우리의 이상향에 조금씩 가까워지려고 하고 있다.

이게 끝이 아닐 것이라는 생각이 든다. 코로나 이후에도 그 사업을 다시 하진 않았지만, 언젠가는 우리도 덕업일치가 되는, '덕후 생활을 위해선 언제든지 편안하게 연차를 낼 수 있는'

그런 곳에서 일하거나, 그런 일을 만들 수 있지 않을까. 그리고
그때 했던 고민과 도전의 결과로 지금의 자리에 있는 것도
안다.

우리네 인생 파이팅이다. 우리는 힘들고 슬프고 억울해도, 보는
즉시 기쁨을 가져다주는 존재들이 있으니깐 해낼 수 있다.
그들을 보며 힘을 내 일하고, 또다시 그들에게 힘을 줘야만
하니깐, 덕후는 할 수 있다.

GIVE AWAY

2020.04.17 - 04.26 (KST)

#BTS #WANNA_ONE

우리의 정성이 가득 담긴
인스타그램 무료 나눔 이벤트

혼자서
부산도 갈 수 있어

W를 좋아할 때 일이었다. 당시 콘서트 티케팅이고 공방이고
팬의 능력치가 0에 수렴할 때였다. 모든 것에 탈락하고 모든
것이 새로웠던 시절의 얘기다. W의 그룹은 당시 일반인들도 알
만큼 승승장구한 1군의 아이돌이었고, 나는 이제 막 덕질을
시작한 초보로 그들을 보러 갈 기회는 늘 구하기 어렵고
희박했다.

공식 팬클럽 가입의 의미도 모르고 일단 가입했었는데, 잽싸게

가입했던 것이 너무나도 다행일 만큼 공식 팬클럽은 꽤나
의미가 컸다. 그것은 공방을 신청할 기회를 줬고 콘서트의 선
예매를 할 기회를 주었으며 우리들만 볼 수 있는 콘텐츠가
올라오기도 해서, 고민하다가 추가모집 때 공식에 가입했던
스스로가 너무 기특했다. (가격도 35,000원이었어 당시에는
엄청나게 큰 결단이었다)W를 좋아하기 시작한 지는 한참이
되었으나, 고척돔이란 엄청나게 큰 야구장에서 열린 쇼케이스
티케팅도 실패하고, 선 예매 자격이 있음에도 불구하고
서울에서 열리는 첫 팬콘서트 예매도 실패해서 서러운
나날들을 보내던 중, 부산에서 열리는 팬콘서트에 가야겠다고
마음을 먹었다.

왜 이 마음을 먹기 어려웠냐 하면, 온실 속 화초처럼 자라난
사람이라 부모님 없이 따로 지내본 적도 없고, 선생님이나
부모님 없이 떠난 첫 해외여행을 동생과 함께 나섰을 때 나이도
26살이었다. 부모님은 우리가 걱정되어서 게스트 하우스는
절대 금지, 3성급 이상 호텔로 간다면 여행을 보내준다는

조항까지 걸었으니 홀로 여행은 또 얼마나 큰 의미인지 설명이
될 것 같다.

그런데 연말에 부산에서 열리는 팬미팅을 가야겠는 것이다.
티케팅에 성공해서 W를 볼 수만 있다면 뭔들 못하겠냐며
스스로를 달랬고, 겨우겨우 스탠딩 가장 뒤 번호 예매에
성공했다. 당시 일기들을 살펴보면 드디어 W를 보러 간다는
설렘, 어떻게 왔다 가야 할지에 대한 걱정 그리고 무얼
준비해야 할지 모르는 혼란스러움이 산재해 있다. 기차보다
비행기가 더 값싸다는 리서치를 마쳐 왕복 항공권을 샀고,
토요일 공연이었지만 일요일에 교회를 가야 했기에 부산
관광은 1도 넣지 않은, 말 그대로 콘서트를 보기 위한 1박
2일을 기획했다.

부산 엑스포에서 열린 콘서트는 엄청난 설렘을 안고 간 것에
비해서 시야가 그닥 좋지 않았고, 키도 작아 깨금발을 하며
허리를 두드렸던 기억뿐이다. 부산이 고향인 W가 마지막에
소감을 말한 것과, 게임 순서를 보며 조금 웃었던 것만

기억나는 정도, 허무하게도 공연 자체는 기억에 많이 남지
않았다.

하지만 에어비앤비로 돌아와 깔끔하게 씻고, 자정이 다 되도록
저녁을 먹지 못해 저녁 식사로 라면과 삼각김밥을 먹은 후
행복한 기분으로 낑낑대며 2층 침대에 올라가 누운 기억은
선명하다. 히터를 틀었는데도 조금 추웠고, 침대에서는 천장이
가까워 좀 기분이 이상했지만 잠이 들 때 나는 그런 생각을
했다. "이보다 완벽할 수 없다." 하고. 혼자 자는 것도
무서워하고 (난 동생이 결혼하기 전까지 같은 방 같은 침대에서
잠이 들었다) 해본 적도 없는데 그날만큼은 너무 많은 기쁨과
안도 그리고 뿌듯함에 엄청나게 잘 잤다.

그 숙소는 공항과 10분 거리에 있어서 독특하게도 공항까지
데려다주는 서비스가 포함되어 있어서 야무지게 픽업 서비스를
신청해서, 다음 날 새벽 7시 비행기를 타려고 준비해서 나왔다.
다시 한번 깔끔하게 씻고 집주인의 작은 모닝 경차에 타고서는
집 주인분과 스몰 토크를 했는데, 무슨 일로 이렇게 오셨다

바로 가시냐고 물어보시길래 "콘서트 보러 왔어요" 했다.
당시는 그 말이 많이 부끄러웠지만, 기분은 너무 좋았다.

결국 비행기는 연착되어서 교회 가는 시간을 놓쳤다. 하지만
행복한 마음으로 집에 돌아올 수 있었다. 이 일로 조금은
인지하게 된 것 같다. 나 앞으로도 자주, 이렇게 놀게 될 것
같다고.

그림
그릴 용기

그림에 대한 태초의 안 좋은 기억으로 거슬러 올라가면
초등학교 1~2학년 때였던 것 같다. 우주의 모습을 그리라는
과제를 받고 '우주라면, 나무가 거꾸로 날 수도 있지 않을까?'
하면서 역삼각형 모양의 나무를 잔뜩 그렸다. 당시 수업을
도와주러 온 한 부모님이 오셔서 '뭘 그린 거야?' 하고
물어봤고, 나는 '나무예요! 우주라서 거꾸로!' 하고 대답했는데,
그 학부모가 내 대답을 듣더니 그림을 보고 웃고 다른

학부모에게도 내 그림을 보라며 눈짓했다. 그게
비웃음이었는지, 귀여워하는 웃음이었는지 잘 모르겠지만
갑자기 기분이 나빠져 삐죽거리며 그림을 숨겼던 기억이 난다.
나중엔 결국 그 나무를 지웠다.

꼭 그 학부모 때문에 상처받아서 그림을 못 그렸다는 게
아니라, 그냥 어릴 때부터 그림에는 소질이 없었다.
교육과정에서 원하는 미술이라면 더더욱 못했다. 초등학교
때는 포스터를 그리는 과제를 자주 했는데, '자나 깨나 불조심',
'석유 안 나오는 나라', '쓰지 않는 전기코드는 뽑아 둬요' 같은
문구를 위아래로 쓰고 알맞게 그림을 그려 깔끔하고 똑
떨어지게 색칠해야 했다. 그런데 아무리 노력해도 선 안에 딱
떨어져 컴퓨터로 찍은 것처럼 색칠하지는 못했다. 감탄이
나오는 예쁜 포스터를 가지고 오는 친구들과 달리 내 글씨는 늘
삐뚤삐뚤했고, 포스터 그리기 과제가 나올 때마다 주눅
들었었다.

미술 때문에 힘들어하는 나를 위해 엄마는 집 앞 상가 미술

학원을 끊어줘서 2년 정도 꾸준히 다녔었다. 선생님은
인자하셨고 잘 가르쳐 주셨지만 내 실력은 늘 그대로였다. 명암
넣기, 정물화 그리기 등을 그리고 또 그렸지만, 실력은 나아지지
않았고 선생님의 도움을 받아 처음으로 제대로 된 스케치를
완성한 날 나는 인제 그만 다니겠다고 얘기했다. 자랑스러운
작품이었지만 내 것이 아니었다. 다시 같은 그림을 그리라고
해도 못 그릴 것이었기에, 이쯤이면 됐다 생각하고 그만두었다.

중학생 때 백일장 같은 것을 하면 그림보다 글 쓰는 걸
선택했고, 그림을 그려야만 할 때면 골머리를 앓았다. 잘하려고
보니 시간은 시간대로 다 썼음에도, 제대로 마무리되지 못한
희끄무레한 어떠한 결과를 내고서 당연히 상은 못 받을 거로
생각하며 제출했었다. 고등학교 때도 마찬가지였다. 다른
친구들은 미술 시간을 좋아하는 데 반해, 나는 음악 시간이
제일 좋았고, 미술 시간에 하는 것들은 어려웠다. 그나마 조금
관심이 갔던 것들은 만들기였는데, 눈꽃 송이 만들기, 고무판화
만들기, 미로 그리기 같은 건 그래도 좀 못해도 티가 별로 안

나서 그런 것들만 해냈다.

그렇게 크니 당연하게도 '나는 그림을 못 그리는 사람', '손재주가 없는 사람'으로 단정 짓고 학창 시절 후에는 그림 그리는 일은 하지 않게 되었다. 하지만 언제나 그림 잘 그리고 손재주 좋은 사람을 부러워했던 것 같다. 한동안 원데이 클래스 붐이 일어날 때 '그림 그리기 수업을 들으러 가볼까?' 하며 몇몇 인스타 계정을 팔로우 해두었는데 용기 내 수업 들으러 가보진 않았다.

그런 나의 삶에 혜성처럼 나타난 아이돌 M은 여러 가지 존경스럽고 멋진 모습을 갖고 있었는데 그중 하나가 취미로 그림을 그리는 것이었다. M은 라디오쇼 호스트로 매주 혼자서 혹은 게스트를 초대해서 얘기하며 캔버스나 패드, 물건 등에 그림을 하나씩 뚝딱뚝딱 그려냈다. M은 그림을 제대로 배운 적도 없고, 취미로 그림을 그린다고 강조했지만, 타고난 감각이 있었고 또 노력했기 때문에 그림들이 특색 있고 멋졌다. 덕후 안경을 쓰고 봐서 그런지 모르겠지만, 내 눈에는 전부 다

적절하게 예뻤다.

'M은 좋겠다… 나도 그림 잘 그리고 싶다.' 생각한 어느 날,
오랫동안 팔로우했던 화실 계정에 들어가서 원데이 클래스를
신청했다. 두근두근 떨렸다. 그림을 그리러 갔다가 망신만
당하고 오는 건 아닐지, 꽤나 비싼 가격인데 만족스럽지 못한
경험으로 인해 후회하는 것은 아닐지 온갖 생각이 앞섰지만
그래도 해보고 싶었다. 나도 M처럼 붓 들고 쓱쓱 아름다운 걸
그려내고 싶었고, M이 말하는 것처럼 어렵지 않게 그림에
접근하고 싶었다.

원데이 클래스 신청했을 때 "무엇을 그리고 싶으세요?" 하고
물어보셨던 것을 잊을 수가 없다. 말문이 턱 막혔다. 으레
원데이 클래스 신청자들에게 주어지는 어떤 필수적인 코스나
따르려고 했는데, 그리고 싶은 것을 그리는 수업이었다. 한참을
고민하다가 고래를 그리고 싶다고 했다. M이 좋아하는 동물이
고래니깐 고래를 그리되 내가 좋아하는 보라색으로 고래를
그리면 딱 좋겠다고 생각했다. 선생님은 혹시 예시로 따라 할

만한 사진들이 있으면 찾아오면 좋을 것 같다고 해서 보라색 고래 사진을 잔뜩 찾아서 보냈다. 나중에 선생님은 너무 많은 사진을 보내서 놀라셨다고 했다.

고래를 그리러 간 날 설레는 마음을 감출 수가 없었다. 앞치마도 두르고, 흰색 캔버스 앞에 앉아서 내가 제일 좋아하는 보라색을 물감을 붓에 묻히고 칠하고, 고래 모양을 잡아가는 과정 전체가 너무나도 좋았다. 물론 선생님께서 모양 잡고 색을 만드는 것을 도와주셨지만 그래도 이건 내 그림이라고 부를 수 있을 만한 그림을 그렸다. 내가 그렸고 내가 색칠한, 그리고 정말로 맘에 든 나만의 첫 그림. 그림에 대해서 거부감 없이, 평가받는 것에 대한 두려움 없이 온전히 즐기는 시간이었다. 집에 돌아오는 길에 발걸음이 가볍고 신나 거의 뛰어가듯이 걸어왔던 기억이 있다. M과의 작은 연결고리가 생긴 것만 같아 기쁘기도 했다.

그 후로부터 점점 그림에 대한 거부감이 줄어들었고 오히려 즐기기 시작했다. 몇 번의 원데이 클래스를 더 듣고, 이런저런 시도를 하다가 이제는 물감과 캔버스를 사서 혼자서도 그림을 그린다. 여전히 그림을 잘 그리냐고 물어보면 글쎄 아니라고 대답할 것이다. 하지만 그릴 수 있다. 이제 그림은 내게 하나의 표현을 위한 도구이고, 스트레스를 해소할 수 있게 도와주는 놀이이며 잠시 생각에 잠길 수 있게 해주는 수단이다. 그렇게 무서워하고 두려워했던, 그리고 기피했던 그림을 다시 그리게 해준 M이라서 나는 M을 더욱더 좋아할 수밖에 없다. 그런 용기를 내게 해준 사람을 어떻게 안 좋아하고 배기겠는가.

나는 M이 너무 좋다.

덕후 계정의 프로필 사진으로도
쓰고 있는 보라 고래 그림이다

2021년 09월 10일 일기

M이 좋아하는 고래를 드디어 그리러 간다. 너무 신나는
날이다. (그림 그리는 곳)을 가고 싶어서 팔로우한 지 3년
만에 그리고 싶은 것이 생겼다. 그래서 M한테 너무 고맙다.
고래는 M거지만, 보라색은 내 거니깐, 다음에는 내가 그리고
싶은 걸 그려야지. 그때까지는 M을 보면서 배워야지. 취향을
찾는 것, 나를 찾는 것. 내가 할 수 있는 것. 나를 표현하는 법.
내가 무엇을 할 수 있는지 뭘 잘하는지부터 파악하는 게
중요하지 않을까. 그걸 모른다면 그냥 남들이 맞다고 하는거,
하라고 하는 것만 하는 내가 될 테니깐. 그런 사람은 되지
않으려고 한다.

M한테 정말로 고맙다. 이 잘 웃는 사람이 너무나 사랑스럽다.
시원하게 매일 웃어주면 좋겠다.

덕생은 즐겁게

덕질 계정이 주는 유익함

소소하게 운영하는 인스타 계정이 있다. 덕질 계정(덕계) 운영은 팬 생활을 정말로 다채롭고 이롭게 해준다. 무엇보다 사람을 연결해 준다는 점에서 덕후 생활에 큰 도움을 준다.

인스타그램으로 하나 된 M 그룹 덕후 친구들 무리가 선명하고 소중한 예이다. 가장 먼저 만난 R 이 가장 중요한 역할을 해주었기에 그녀부터 말하자면, 그녀와 나는 최애가 같고, 입덕 시기가 비슷해서 서로 맞팔로우 하고, 각자가 편집한 영상에

댓글을 남기고 연락하던 사이었다. 그러다가 그녀가 M 그룹의
미국 투어를 보러 가기 위해 준비하고 있음을 알게 되었다.
나도 미국에 가고픈 마음은 굴뚝 같았지만, 그럴 휴가도, 돈도
없었기에 이 여성의 용기와 재력(?)을 확인하고 싶어져 냅다
만나자고 했다. 처음 만나기로 한 날 나는 그녀의 마음에 쏙
들고 싶은 마음에 꽃까지 사 들고 갔다. 장소도 무려
매드포갈릭이어서 거의 고백하러 가는 기분이었다. 나로서는
엄청난 용기를 내어 R을 만났고, 그렇게 우리의 인연은
시작되었다.

R과 함께 컴백쇼도 응모하고, 다른 팬들을 만나러 가고, 자주
연락하면서 점점 친해지고 함께 보내는 시간이 많아졌다. R은
워낙 발이 넓고 사교성이 좋은 친구라 R 덕에 팬콘서트 중에
무려 11살 12살 차이가 나는 어린 친구들과 친해져 뒤풀이하며
저녁을 먹었다. 덕친(덕후 친구)이 3명이나 생기다니! 나로서는
충분한 숫자였다. 하지만 우리의 미친 덕친 무리는 R이 미국에
감으로써 한 번 더 확장되었다.

미국에 따라갈 수는 없지만, 미국에 처음으로 가는 데다가 혼자 가는 R이 걱정되는 마음에, 팔로워 중에 미국 콘서트에 가는 분을 무작정 R에게 알려주며 미국에 가는 것 같으니 연락해 보라고 시켰다. 알고 보니 미국에 살고 있던 이 친구는 미국 콘서트를 간다는 사실을 본인 계정에 아주 잠깐만 올렸는데 그 찰나에 내가 본 것이다. 그렇게 LA에 사는 친구 2명을 만나게 되었다. 그녀들은 공교롭게도 R이 LA에서 지내는 동안 묵는 친구 집과 가까운 곳에 살고 있었다. (인연은 이렇게 시작된다) 또, R이 뉴욕 콘서트 후, 호텔 로비에서 뉴욕 친구를 만나 M그룹에 관해 얘기하면서 뉴욕 친구와 친해지게 되었다.

마지막으로 급발진 친구는 심심해서 집 근처에 하는 공연장에서 M 그룹의 콘서트를 갔다가, 완전 급발진으로 M그룹에 빠져버려서 일면식도 없는 나에게 DM을 보냈다. 그녀는 본인이 찍은 M그룹의 영상을 내 계정에 올려도 된다며 M그룹에 빠졌다고 말했다. 그녀가 미국에 살고 있으니, LA에서 하는 마지막 콘서트도 가면 어떻겠냐고 했지만, 그녀는

LA는 너무 멀어서 갈 수 없다며 거절했다. 그러나 며칠 뒤
당일로 LA 가서 공연을 보러 가겠다고 급발진으로 결정했고,
나는 R을 연결해 주어서 꼭 만나고 오라고 했다. 그녀는 정말로
도착하자마자 공연을 보고 끝나자마자 집으로 돌아가는 극한의
스케줄을 소화했고 그렇게 우리는 친해졌다.

R 덕에 연결된 우리는 미국 4명, 한국 4명의 무리가 되어
얼굴을 본 적은 없지만 카카오톡방을 만들어, 미국 시간 한국
시간 할 것 없이 24시간 M 그룹에 관해 얘기하고 떠들기
시작했다.

마지막으로 우리 그룹에 합류한 B는, 우리가 맨날 카톡으로
얘기하는 것이 아쉬워, 얼굴 보자며 줌 통화를 계획했을 때
초대되었다. B도 인스타그램에서 열심히 활동하던 친구였는데,
인스타에서 만난 우리가 사실은 모두 B를 팔로우하고 있음을
알게 되었다. B에게 우리 함께 줌 통화를 하기로 했는데, 와서
같이 통화하지 않겠냐고 물어보면서 만남이 시작되었다.
이렇게 9명으로 꾸려진 친구들은, 함께 팬주점도 운영하고,

봉사도 하고, 팬카페도 운영하는 등 즐거운 시간을 보내고 있다. 이 모든 것을 가능하게 해준 우리의 덕계는 그래서 소중할 수밖에 없다.

덕계가 소중한 또 다른 이유는 덕생(덕질 생활)을 기록할 수 있기 때문이다. 계정에는 M그룹의 여러 영상 콘텐츠나 무대 중에서 좋아하는 부분을 영상으로 잘라 올리기도 하고, M 그룹의 영문 인터뷰를 국문으로 번역하여 올리기도 한다. 그리고 직접 간 콘서트나, 진행했던 활동들에 대해서 상세하게 기록하는 창구가 된다. 원래도 말 많이 하기 좋아하는 투머치 토커인 나는 트위터처럼 짧은 글만 쓸 수 있는 곳은 적응하기가 어려워 인스타를 택했다. 그래서 자주 나의 게시물은 주절주절 사랑을 고백하는 글을 올린다. (이 모든 것을 견뎌내 주는 팔로워들에게 감사할 따름이다)

또한 덕계는 M 그룹을 홍보하는 데 매우 효과적이다. 앞서 말했듯 팬덤의 화력은 가수의 힘이다. 덕계는 기록을 남기고 친구들과 재밌게 놀기 위한 용도긴 하지만, M 그룹의 귀여움과

멋짐과 설렘을 대중에게도 알리기 위해 운영하기도 한다.
실제로 팔로워 중에는 외국인도 있고, 평범한 일반인들도 있다.
그들은 M그룹을 구체적으로 좋아하기보다는 가끔 보고 싶어
하는 그룹으로 생각하고 내 계정을 팔로우한다.

그런 사람들이 어떨 때는 더욱 깊이 빠져들어 결국 덕계를
만들어 연락을 해올 때가 있는데, 그때의 뿌듯함은 사실 말도
못 할 정도이다. M그룹의 매력은 최대한 많은 사람이 알아야
한다. 그들의 끝내주는 무대 실력이나, 작사 작곡 능력도 알려야
하고, 잘생긴 얼굴과 더불어 센스 넘치는 예능감과 팬들을
생각하는 다정함도 알려야만 한다. 그래서 오늘도 열심히
영상을 편집하고 자막을 달아서 올리기도 한다.

마지막으로 가장 솔직하게는 이 계정이 나의 최애나 M그룹에
닿길 바라는 마음도 있다. M그룹은 팬들의 반응이나 의견을
보기 위해 열심히 SNS를 서치하고, 팬 브이로그 콘텐츠들을
보는 그룹으로 유명하다.

← **catchingup_go5rae** ⋮

1,870	**5,430**	**439**
게시물	팔로워	팔로잉

킴고래🐋🖤뾰롱이

ⓖ 57,979,715

고오래인줄 알았던 감자를 사랑 중 🧄🥔🐶

#민혁 #MONSTAX

🔗 m.blog.naver.com/catchingup_go5rae

그래서 이 계정을 열심히 굴리다 보면, 언젠간 나도 이들의 레이더에 잡혀 그들에게 보이지 않을까 바라게 된다. 나의 응원 글귀에 힘을 얻거나, 나의 코멘트에 그들이 웃을 수 있다면. 더 나아가 혹시나 위로가 될 수 있다면 나는 더없이 기쁠 것 같다. 그 사실을 내가 모르더라도 말이다.

여러 가지 마음을 담은 이 계정은 매우 소중한 존재가 되었다. 자주 얘기하는 얼굴 모르는 사람들이 소중하기도 하고, 얼굴도 알게 된 사람들은 더더욱 반갑다. 가끔은 SNS 중독자처럼 너무 자주 들어가고 또 강박을 느끼면서까지 영상을 만드는 것 같은 기분이 들기도 하지만 지금으로서는 나에겐 최대의 재미이자 활력소 같은 곳이다.

최고의 즐거움은
역시 공연이다

주말 내내 너무나도 좋아하는 M그룹 팬콘서트를 다녀왔다.

팬콘서트는 팬미팅 + 콘서트의 줄임말로, 기본적으로는
팬클럽에 가입한 '팬'을 위한 콘서트이다. 그러나 콘서트도
팬클럽에 가입하지 않으면 가기 힘들다는 점에서 큰 차이는
없다. 팬콘서트(줄여서 팬콘)는 노래가 주가 되기보다는
게임과 근황 토크 등이 주이고, 5~10곡 내외의 무대가 있는
것이 보통이다. 콘서트는 노래가 주를 이뤄 20곡 넘는 무대를

하고, 잠깐의 토크 시간이 있다. M그룹은 팬콘서트에서도 16곡 정도를 부르는 베테랑 가수라는 것은 자랑해야겠기에 덧붙인다.

콘서트는 오후 5시, 6시에 시작하지만 12시부터 미리 가 있는 우리는 그래야만 직성이 풀리는 이상한 친구들이다. 친구들과 나는 편하게 대기를 하기 위해 차를 대여하고, 더위에 지친 친구들을 에어컨이 빵빵하게 나오는 차로 초대해 같이 밥도 먹고 표 본인인증도 받으러 가고, 굿즈를 사러 가기도 했다. 중간중간 틈틈이 온라인으로 사귄 친구들과 실물을 보고(오프 만남이라고도 부른다), 공연 재밌게 보라고 당을 충전해 주는 간식을 나누며 친목을 다졌다.

첫날은 미친 듯이 더웠고 둘째 날은 미친 듯이 비가 왔는데 우리는 겉으로는 힘들다 어떻다 투덜대면서도 사실 마음이 벅차올랐다. 너무나도 오랜만에 보는 공연이기 때문이다. "이렇게 살기 싫어, 너무 힘들잖아. 왜 우리는 적당히 좋아하질 못할까?" 하면서도 막상 콘서트를 가지 못하면 눈물을 흘리는

공연 시작 견, 인증 사진은 필수

친구들이라 어쩔 수 없다. '힘들 거면 보면서 힘든 게 낫지, 못 봐서 힘든 건 안 돼' 하는 게 우리의 마음이다.

콘서트가 끝나면 또 9시, 10시인데 그때부터 못 먹은 저녁을 먹고 맥주를 마시며 얼마나 개쩌는 콘서트였는지 도란도란 얘기를 나눈다. 어떤 때는 우리의 언어의 한계를 탓한다. 내가 느끼는 감정은 이렇게 저급하지 않은데 어째서 맨날 "개쩐다. 개멋있어. 개좋아" 같은 말밖에 못 하는지 한탄스럽다. 어떻게 하면 더 잘 표현할 수 있는지를 고민하다가 그냥 또다시 돌아와 "미쳤다, 돈 거야 정말" 이런 말밖에 못 한다.

우리는 조명 때문에 후광이 비친 그들이 얼마나 천사 같았는지, 노래와 랩, 춤 실력이 얼마나 좋은지, 얼마나 잘생겼는지, 이번 콘서트 플레이리스트가 얼마나 완벽했는지 등을 말한다. 그리고 이것을 위해 그들이 얼마나 노력했고, 얼마나 우리를 생각해서 준비했는지 보인다며 칭찬한다. 심지어 콘서트 VCR(중간중간 의상을 갈아입기 위한 시간에 미리 찍어둔 컨셉 영상이 나온다. 두 번 옷을 갈아입었다) 에서는 또 얼마나 다들

재밌게 연기를 잘했는지 못 하는 게 없다며 칭찬한다. 군대에
가 있는 최애가 휴가 맞춰 공연을 보러 나온 것이
하이라이트였다. 객석에 앉아서 처음부터 끝까지 웃으면서
공연을 관람한 최애가 너무 반갑고 사랑스러워서 주절주절
얘기를 이어갔다.

궁극에는 '만약에' 게임으로 우리의 마음을 정리하곤 한다.
'만약 그가 무대에 대한 열정이 떨어진다면', '그가 갑자기
노출광이 되어서 옷을 벗는다면', '그가 자신의 위치에
안주하고 노력하지 않는다면', "나는 탈덕할거야"라고
얘기한다. 하지만 그것은 제발 그렇게 하지 말아 달라는 간절한
부탁이기도 하다. 우리가 너희를 오래오래 좋아하게 해달라는
말이기도 해서, 결국 모든 말이 사랑한다는 말이다.

재밌고 안타깝고 즐겁고 애틋했다. 이 좋은 시간을 보내고
현생으로 돌아가는 게 너무 속상해 이틀이 지났는데도 아직
영혼이 올림픽공원에 있는 것 같다. 감사한 마음이 든다.

이렇게 큰 기쁨을 줄 수 있는 사람들을 만날 수 있어서, 그들을
응원할 수 있어서 감사하다. 앞으로도 왠지, 한동안은 어쩌면 꽤
오래 이들을 좋아할 것 같다.

우리는 즐거움을
쌓는다

인스타를 통해 알게 된 여러 친구와 함께 지난 1년 반 정도의
시간 동안 정말 많은 일들을 했다. 대표적으로 가장 큰 활동만
세 개 든다면 우리는 함께 팬 생일 기념 바(Bar)를 열었고, 팬
연탄 봉사활동을 진행했으며 마지막으로는 M그룹 공연을
곁들인 미국 여행도 다녀왔다. 물론 이보다 더 있는데 그냥 이
세 가지만 쓰기로 한다.

이야기를 시작하기 전에 이 모든 일에는 R이 너무나도 큰

역할을 했음을 꼭 기록해 두고 싶다. 언제나 그녀의 미친 추진력과 뒤를 모르고 돌진하는 열정이 이 모든 것을 가능하게 했다.

가장 처음으로 한 활동은 우리 팬덤의 생일 기념일에 바를 연 것이다. 바를 여는 것은 R의 간단한 아이디어로부터 비롯되었다. 그녀는 팬들이 모두 모여서 함께 수다 떨고 즐기는 자리를 만들고 싶다고 했다. 좀 어려워 보이지만 좋은 생각이라 생각하고 넘겼는데, 그녀의 생각이 점차 구체화 되는 것을 목격했다. 아는 팬분이 음식점을 하고 있어서 장소가 마련되고, 여러 가지 아이디어들이 나오더니 어느새 어떤 메뉴를 팔지 결정하고 있고 바 모집 공지를 만들고 있는 우리를 발견했다.

바 운영을 위해서 타임제로 나누어서 신청받았고, 입금을 확인했고 입금받은 돈을 재료비로 출금하기도 했다. 당일에 바를 아름답게 꾸미기 위해 데코도 했고, 사진 액자도 걸었고, 럭키드로우(즉석 복권의 개념으로 1등부터 5등까지 있어서 R과 친구들이 손수 만든 굿즈가 당첨 선물이었다)도 준비했다.

당일에는 친구들과 시간을 나누어 서빙도 하고 설거지도 했고, 주류를 판매하는 만큼 오는 손님들의 신분증 검사도 해야 했다.

이 모든 과정에 R이 가장 큰 수고를 했다. 그녀는 굿즈 제작, 포스터 제작, 장소 섭외, 데코를 위한 사진 수급, 의사소통 등 너무 많은 일을 하고 지출도 많이 했다. 옆에서 나와 친구들은 온라인 폼 작성을 돕거나, 장소 데코에 힘을 쓰거나, 플레이리스트를 만들거나, 미국에서 제작한 굿즈를 보내오는 등 최선의 팀워크를 발휘하여 그녀를 서포트했다.

바는 주말 이틀 내내 성공리에 개최되었고, 여러 팬들 사이에서 회자되고 좋은 기억으로 남았다. 양일간 10개 타임을 운영하면서 200명에 가까운 팬들을 만난 우리는 기진맥진했지만, 우리의 바 운영이 M그룹에도 전해지면서 라이브 방송할 때 "어떤 분이 술집을 여셨다는데?" 하고 언급되었을 때의 짜릿함은 잊을 수가 없었다.

두 번째로 우리는 연탄 봉사활동을 진행했다. 이 아이디어 또한

생일 파티 바(Bar)

R의 제안으로 시작했다. R은 나보고 봉사활동 많이 해왔으니까 그런 활동도 팬들과 함께 해보면 어떻겠냐고 물어봤다. 연탄 봉사활동은 여러 번 해봤지만, 직접 개최하는 것은 처음이라 큰 도전이었다. 연탄 봉사활동을 진행할 단체를 찾고, 신청하고 필요한 돈을 알아보는 것으로 활동을 시작했다.

연탄 봉사활동을 할 때는 몰랐는데, 우리가 나르는 연탄은 우리가 직접 사는 것이었다. 그래서 연탄을 살 자금이 필요했고, 참가자들에게는 필수적으로 참가비를 받았지만, 참가비보다 더 큰 금액을 모금해야 했다. 이 부분에 대해서는 꽤나 부담이 있었는데, 부족하면 우리 돈으로 채우면 되긴 했지만 그러고 싶지 않아서 날마다 기도하는 마음으로 준비했다.

다행히 30명 가까이 되는 분들이 참가하겠다고 신청했고, 후원금도 들어와서 우리가 목표했던 금액을 달성하고 연탄 봉사도 할 수 있게 되었다. 이 과정에서 R과 친구들도 너무나 큰 도움을 주었다. R은 또다시 참여자들에게 줄 특전을 제작해 주었고, 모집 광고도 만들어 주었다. 친구들은 특전 포장을

돕고, 명단을 만들고, LA에서 한국으로 놀러 온 미국 친구는
당일에 든든한 사촌까지 동원해서 인력을 채워주었다. 당일
스태프로 열심히 뛰어준 친구들 덕에 정신을 똑바로 차리고
봉사를 진행할 수 있었다. 중간에 간식 타임을 가지라고 빵과
우유를 보내주신 R의 친구들도 너무 감사했다.

중간에 후원금 사용처를 의심하는 사람들도 있고, 코로나와
여타 이유로 봉사 당일에 취소하는 사람들 덕에 마음의
어려움도 있었지만, 결론적으로는 M그룹 팬덤 이름으로 좋은
일을 할 수 있어서 감사했다. 여자들뿐이라서 염려하던
봉사단체의 걱정과는 다르게 우리는 너무나도 빠르게 잘
해내서 배정받았던 연탄보다 더 많은 연탄을 나르면서
성공적으로 봉사를 마무리했다.

나중에 최애의 라디오쇼에 봉사에 참가했던 팬이 사연을
보내면서 최애에게도 우리의 연탄 봉사 소식을 전하게 되어서
그 또한 기뻤다. 팬싸를 통해서 알음알음 다른 멤버들에게도 이
소식이 전해질 때 괜스레 뿌듯한 기분은 어쩔 수가 없었다.

연탄봉사활동 단체사진

마지막으로 이번 연도에는 R과 함께 미국에 가서 미국에 있는 친구들과 함께 M그룹 공연을 보러 다녀왔다. 이 또한 친구 R 따라 미국 간 케이스인데, R은 이미 전년도에 M그룹 공연을 보러 미국에 두 번이나 갔던 이력이 있다. 미국 친구들과 영상과 사진만으로 소통했기에 언젠간 나도 꼭 미국에 가고 싶다고 생각하고는 했었다. 그러나 미국 여행이라는 것이 경비도 많이 들고, 이직한 지 1년도 채 되기 전이라 미국까지 다녀올 휴가를 내기 어려워서 소심하게 부러워만 하고 있었다.

그러다 이번 연도에 또 M그룹이 LA에서 하는 콘서트에 출연한다는 소식을 듣고 미국 친구와 R은 재빠르게 좋은 자리를 티케팅했고, R은 미국행 비행기까지 발권을 마쳤다. 그때까지만 해도 남의 일 같았던 미국 여행은 어느 날 부모님의 미국 출장 소식으로 뒤바뀌게 된다. 부모님은 정확히 같은 시기에 LA로 출장을 간다고 하셨고, 필요하면 마일리지도 줄 수 있으니 함께 가는 건 어떻겠냐고 물어보셨다.

거부할 수 없는 좋은 기회였다. 당장 미국 친구를 통해서

티켓을 한 장 더 사고, 마일리지로 비행기표를 끊고, 6일이라는 (나로서는) 파격적인 휴가를 얻어내기 위해 리더님과 얘기를 마쳤다. 그렇게 미친 미국 여행이 계획되었다. LA에 살고 있는 친구 두 명과, 뉴욕에서 라스베이거스 공연장으로 바로 올 친구 한 명 그리고 R과 나 이렇게 우리의 여행은 성사되었다.

너무나도 많은 일이 있었고, 뉴욕에서 온 친구는 비행기 연착으로 인해 공연을 오지 못할 위기까지 겪었지만 언제나 그랬듯이 우리는 해냈다. 매일 연락하기 때문에 처음으로 얼굴 보는 친구들과 너무나도 익숙하게 지낼 수 있어서 너무 반갑고 신기했다.

두 가지 기억이 크게 남는다. 뉴욕에서 온 친구가 비행기 연착으로 오지 못할 위기에 근처 지역으로 오는 비행기를 타고, 그곳에서 차를 렌트하고 공연장까지 운전해서 올 수 있었는데, 다음날 렌트한 차를 반납하기 위해서 왕복 6시간 정도 걸리는 곳으로 미니 여행을 친구들과 함께한 것이 기억에 남는다. 오고가는 차 안에서 그랜드 캐니언과 같은 풍경을 보고, 노래를

들으며 우리는 속 깊은 고민을 얘기하고 M그룹에 관해서
얘기했다. 6시간보다 더 많은 시간을 함께한 것 같은 밀도 높은
아름다운 시간은 오래도록 잊지 못할 것 같다.

두 번째 기억은 LA에서 예전에 M그룹이 갔던 장소들과 먹었던
음식을 먹으면서 손민수 했던 시간이다. (손민수는 드라마
'치즈인더트랩' 등장인물로 주인공의 옷과 헤어스타일을 따라
하는 악역이다. 아이돌이 입은 옷이나 액세서리를 따라 사거나
갔던 음식점을 갈 때 '손민수 한다.'고 표현한다. 성을
그룹명이나 최애 이름으로 바꿔서 사용하기도 한다. ex:
몬민수, 혁민수 등) 그 하루는 정말 빼곡하고 빠짐없이
행복했다. 중간에는 정말 눈물이 날 정도로 좋았는데, 최애가
입대한 지 얼마 되지 않아서 간 여행이라 너무 보고 싶은 마음
반, 이곳에 와서 이러한 경험을 하고 있다는 사실이 놀라워서
감동 반으로 벅찬 마음을 쓸어내렸다. 무엇보다 이렇게 행복한
경험을 함께하고 있는 친구들이 너무 자랑스럽고 사랑스러워서
감동했다. 미국이 아름답고 광활한 곳이라서 또 기분이

라스베이거스에서 R과 함께

남달랐다.

혼자서 평창 가는 것도 새로워하고, 부산에 혼자 가서 자고 온 게 뿌듯했던 몇 년 전의 나는 갑자기 혼자서 미국까지 가는 사람이 되었다. 그 모든 것은 즐겁고 사랑스러운 친구들과 함께였기에 가능했다. 그리고 이런 사랑스러운 친구들을 만나게 해준, 내 인생에는 크고 작은 변화를 만드는 M그룹에 감사한 마음이 든다.

더 많은 사람을 만나게 해주고 더 즐겁고 새로운 경험을 하게 해준 사람들에게는 매일 고맙다고 말하게 된다. 그리고 빼곡하게 쌓여가는 우리의 즐거움은 그때뿐 아니라 지금도 맛있는 추억거리가 되어 우리를 흐뭇하고 즐겁게 해준다.

1분을 3천 번
복기한다

우리는 1분을 3,000번 복기한다. 그래서 그 1분은 우리에게 3,000분이 되어버린다.

이 1분은 팬사인회(팬싸)에서 최애와 대화하는 1분을 말한다. 보통 팬싸에 응모하기 위해서는 앨범을 사거나, 광고 물품을 사거나 해야 한다. 어떻게 해도 예쁘게 표현되지는 않기에 직설적으로 표현하면 돈으로 최애와의 시간을 사는 것이다. 팬싸 응모는 적지 않은 돈을 써야 한다는 점에서, 그리고 그

돈을 써도 당첨이 되지 않을 수 있다는 점에서 꽤 망설여지는 활동이다.

덕질 초반에는 그렇게까지 큰돈을 쓸 여력도 없었고, 도박과도 같은 베팅에 돈을 쓸 용기도 없었다. 그러나 W를 좋아한 지 3년이 넘어가던 시점에서는 도전을 해볼 마음이 생기고 말았다. 당첨되지 않아도 앨범 판매량에 기여하게 된 것이니, 좋은 것이라고 스스로 세뇌하면서 응모했던 첫 번째 팬싸에서는 운이 좋게 당첨이 되어서 다녀오게 되었다. 당시 아무것도 모르는 나는 캠코더만 겨우 대여해서 갔었는데 팬싸 장소의 분위기에 압도되고 말았다.

압도된 이유는 이미 여러 번 팬싸를 와서 멤버들과도 잘 지내고 아는 '고인 물' 팬들의 기에 눌려서였다. 나는 혼자 왔기 때문에 옆 사람과 친구라도 해볼까 싶은데, 그녀들은 이미 앞자리 옆자리 뒷자리의 지인들과 대화하고 또 서로 어떻게 찍어달라고 얘기를 나누고 있어서, 소심한 나는 입을 다물 수밖에 없었다.

또한 고인 물 팬들은 팬싸를 100퍼센트 활용하는 멋진 모습을 보여줬다. 팬싸는, 예를 들어 6명의 멤버 앞에 6개의 자리가 있고, 팬들이 한 명씩 얘기하고 넘어가는 형식인데, 그러다 보면 특정 멤버 앞에 자리가 빌 때가 있다. 기껏 해봤자 3초에서 5초의 시간 안에 최애의 예쁜 사진을 담기 위해 팬들은 최애의 이름을 크게 부르고, 그럼 최애는 그 카메라를 보면서 예쁜 포즈를 지어주는 게 보통이다. 사진으로만 봤을 때는 예쁘다고 생각하고 넘어갔는데, 최애가 본인 카메라를 보게 하기 위해서 아주 크게 그의 이름을 불러야 한다는 점에 충격을 먹었다. 그래서 종종 팬싸는 "돌잔치"라고, 불리는데, 애기의 혼을 쏙 뺏어낼 정도로 큰 소리를 내어서 카메라를 보게 한다는 점에서 비슷하기 때문이다. 최애 이름은 남용되고, 그룹에는 멤버가 여러 명이기 때문에 여기저기서 다양한 이름들이 쏟아져 나온다. 그런 곳에서 초짜는 그냥 그것들을 바라볼 수밖에 없다. 나는 이 사람과 무슨 얘기를 할지 고민하기에도 너무 긴장되고 바쁘기 때문이다.

여튼, 그렇게 대면 팬싸를 갔던 기억은 코로나 이전의 좋은
시절이었고 코로나가 오면서 팬싸를 전혀 진행하지 못했던
소속사들은 새로운 묘안을 내는데 그것은 '영상통화
팬사인회(영통팬싸)'이다. 처음에는 솔직히 '이렇게까지 해야
하나' 하는 생각이 들기도 했는데, 영통팬싸는 그 나름대로 또
묘미가 있는 게, 나의 화면을 녹화해서 우리의 대화를 다
기억할 수 있다는 점, 대면으로 만나지 못하는 내 가수를
영상으로라도 보게 해준다는 점에서 팬들은 거부할 이유가
없었다.

최애의 얼굴을 대문짝만하게 보고, 주변에서 최애를 불러대는
큰 소음 없이 온전히 집중할 수 있는 영통팬싸의 1분 혹은
2분을 위해 응모했다. 가장 기억에 남는 영통팬싸 경험은
아무래도 M과의 첫 영통팬싸 경험이었다. 당시에는 입덕한지
6개월 정도 지난 후였고, M그룹의 팬싸 컷(당첨되기 위한
금액이 암암리에 팬 사이에서 퍼져 있다. 그 정보는 때론
정확하진 않지만 그래도 대략 어느 정도를 써야 하는지 지표가

되어준다)은 놓기로 소문이 나 있었기에 두려웠다. 그러나 할 수 있는 최선을 다하기로 했고, 되지 않으면 그냥 인연이 아닌 것으로 생각하기로 했다. 손발 다 떨어가면서 응모한 결과 운 좋게 또 당첨되었고, 그렇게 M과의 첫 팬싸가 다가왔다.

M에게는 덕분에 그림도 그리게 되었다는 것과, 그림을 그리기 시작하자 온 세상의 색깔이 다르게 보여서 나에게 색을 알려줘서 고맙다고 말했다. M은 그러한 얘기는 가수 생활하는 7년, 8년 중의 처음이라며 고맙다고 했다. M이 만났던 수많은 팬과 조금은 차별성이 생긴 것만 같아 기뻤던 순간이었다. 또 늘 M이 처음 온 팬들에게 궁금해하는 것, 어떻게 하다가 입덕했는지 설명했고, 마지막에는 M의 공연을 꼭 보러 가고 싶다고, 나중에 국내 공연도 꼭 해달라고 당부했다. M은 알겠다고 공연을 꼭 보러 오길 바란다고 얘기해주고, 마무리할 때쯤 '자주 와달라고는 못하지만, 상황과 여건이 되면 다시 찾아와서 얘기하자'며 마무리했다.

달콤하고 완벽한 마무리였다. M은 내가 상상했던 것 이상으로

따뜻하고 자상했고 내가 하는 얘기들을 예쁘게 웃으며 경청해
주었다. 그래서 나에게 그 1분은 두고두고 자랑거리가 되었고,
나는 M과의 통화를 기록하기 위해 편집하면서 한 30번 보고,
그 게시물을 내킬 때마다 꺼내 보고 복기하고 되새겨 통째로
외워버렸다.

M에게는 기억이 나지 않을 1~2분일 수 있지만 내 인생에
있어서는 그 경험이 너무 강렬하고 크기 때문에, 죽을 때까지도
기억에 남을 순간이 된 것 같다. 그와 함께 나눈 대화 1분이
3,000분이 되는 것이다.

너의 의미

내 꿈을 대신
살아주고 있기도 해서

기억해 보면 어려서부터 춤추고 노래하는 것을 좋아했었다.
몸을 잘 쓰는 사람들을 부러워했고 발레나 체조 선수들의 무대
보는 것을 좋아했다. 또 노래할 기회라면 교회든, 학예회든
지원했고, 초등학교 때는 S.E.S 언니들의 'Dreams Come
True'를 무한 돌려보면서 춤을 따면서 놀기도 했었다. 5학년이
될 때까지 춤추며 노는 나를 보다가 엄마가 "중학생이 되면
이제 춤 그만 추고 공부해야 해"라고, 말했었다. '아 이런

즐거움에도 끝이 있구나' 했던 기억이 난다. 나이가 든다는 건 재미없다는 생각을 그때 처음으로 했던 것 같다.

학창 시절 열심히 공부하고 친구 사귀고 놀면서 춤이나 노래에 대한 관심은 옆으로 치웠던 것 같다. 그래도 기회가 될 때마다 무대에 오르고 했었다. 교회에서 하는 뮤지컬에도 나가고, 무언극이나, 난타 등 언제나 무대와 관련된 것을 내 나름대로는 적극적으로 즐겼다.

그래서 이제 와 돌아보면 아이돌을 좋아하게 된 것은 이상한 일이 아니다. 무대에 대한 오래된 갈망을 너무나 멋지게 실현해 주는 잘난 사람들을 응원하는 건 어쩌면 내 꿈을 응원하는 거였을지도 모른다. 또한 그들이 잘하는 무대를 계속할 수 있게 응원하고, 힘이 되고 싶은 마음이 든 것도 자연스러운 것 같다.

그런데 응원하다 보니 잘하는 것을 부러워만 할 것이 아니라 직접 배우고 실행하는 것이 좋겠다는 마음이 들었다. 그래서 덕질을 시작한 후로 원데이 클래스로 춤과 노래를 배웠다.

생각보다 쉽지 않았지만, 수업받기 전에 떨림과 설렘은
오래도록 기억에 남는다. 아장아장 춤을 추고, 삑사리 내며
고음을 극복하지 못하더라도 노래 부르고 춤출 때 정말 기뻤다.
잠시 잠깐 엄청난 집중력으로 몰두할 수 있는 그 시간이 지루한
일상에 숨통이 되어주었다.

재능을 갖고 있었다면 마음으로만 열망하지 않고 예술 활동을
하는 예술가가 되었겠지만, 그 정도의 실력이 아님을 스스로
알고 있다. 그런데 포기하고 있었던, 또는 잠시 잠깐 뒤로
미뤄놨었던 꿈과 나에게 즐거움을 주던 활동을 상기시켜 주고
또다시 배워볼 용기를 준 사람들이 지금 내가 좋아하는
아이돌들이다.

내 꿈을 대신 살아주고 있는 사람들을 어떻게 응원하지 않을 수
있을까. 나는 조금은 이기적인 마음을 갖고서 오늘도 계속해서
그들이 잘하는 일을 해내길 응원한다. 그리고 무대를 하면서
내가 춤추거나 노래를 부를 때 느끼는 설렘과 기쁨을 그들도
계속해서 느낄 수 있길 바란다. 그들이 계속해서 일하고

잘되어서 또 다른 일을 할 수 있길 바라는 건 그냥 그들의
행복을 바라는 일이기도 하다. 그들이 늘 행복했으면 좋겠다.

잘 자라는
감자처럼

최애가 입대한 다음 날은 식목일이었다. 회사에서 식목일을
맞이하여 올리브나무 심기 활동을 하였고, 나도 참여해서
올리브나무 묘목 한 그루를 받아왔다. 좀 늦게 가서 건강하고
튼튼한 아이들은 다 나가고, 한 줄기 위태롭게 서 있던 묘목을
받았다. 이름을 '감자' (빡빡 깎은 최애 머리통이 감자 같아서
감자라는 별명이 생김) 라고 짓고 키우기 시작했다.

어려서부터 집에서 동물이며 식물이며 키워본 적은 많다.

칭찬도 해주셨다. (물론 식물집에 방문한 식물들은 아파서 간 친구들이었을 것이다) 너무 잘 자라길래 과도한 욕심에 물을 많이 줬다가 뿌리 파리가 생기기도 했었다. 덕분에 생애 처음으로 약국에서 식물해충 약도 사봤는데, 뿌리고 나니 다행히 파리는 사라졌다. 코로나에 걸려서 일주일간 사무실에 못 갔을 때는 비쩍 말라버리기도 했는데, 다행히 잘 회복해서 건강히 지낸다.

얼마 전에 감자에게 예쁜 새잎이 났다. 너무 느리게 자라고 있어서 속상할 때쯤, 뾱하고 세 개의 잎이 자랐다. 그 잎들이 그렇게까지 예쁘고 귀할 수가 없었다. 세 달 정도는 변화 없이 그대로였는데, 너무너무 자랑스럽고 대견해서 식물에 계속 예쁘다 예쁘다 하고 잘 자라고 있다고 속삭였다. (속삭인 이유는, 사무실에서 키우기 때문에 너무 크게 얘기하면 사람들이 이상하게 볼까 봐서이다)감자에게 물을 주고, 볕이 잘 보이는 곳에 놔주고, 환기가 잘 되는 곳을 찾아주면서 결국 식물도 관심을 먹고 크는 거구나 싶었다. 동식물을 많이 죽이던

나의 귀여운 감자

그런데 살아 들어온 생물체들이 죽어 나간 경험이 많아서, 올리브나무도 잘 키울 수 있을까 걱정을 많이 했다. 차라리 매일 물을 줘야 하는 것이라면 잘할 수 있을 것 같은데, 식물은 주 1회 혹은 2회 이렇게 애매한 텀을 두고 돌봐야 해서 어려웠다. 며칠 까먹고 있으면 말라비틀어져서 또 회생 불가능한 상태가 되기도 하는 식물이라 더더욱 어려웠다.

그래도 감자(올리브나무)는 왠지 잘 키우고 싶었다. 감자를 최애가 제대할 때까지 잘 키우면 왠지 나도 잘 지낼 수 있을 것 같았고, 그리고 최애에게 자랑할 거리도 하나 생길 것 같았다. 최애가 입대할 당시에 마음이 너무 어렵고 힘들어 생활에 지장이 갈 정도여서 상담을 시작했었다. 그 정도로 많이 두렵고 슬펐고, 정신이 없었다. 슬픔을 이겨내기 위해서 뭐라도 해야 했다. 그래서 나는 감자를 열심히 키웠다.

넉 달이 지난 지금, 감자는 잘 자라고 있다. 분갈이하기 위해 식물집에 방문했을 땐, 주인분께서 뿌리가 튼튼히 잘 자라고 있다고, 그때 회사에서 심은 것 중 가장 튼튼한 것 같다며 나는 조금 더 성장하여 식물을 들여다보고 키울 수 있는 사람이 되고 있다. 식물이 자라는 것처럼 나도 자라고 있는 것이다.

감자랑 비슷하게, 성장한다는 것은 스스로를 돌보고, 먹이고, 필요한 것들을 주면서 키우는 것은 아닐까 생각해 본다. 최애가 눈앞에 보이지 않고 나서야 스스로를 돌보는 게 조금 웃기긴 하지만, 아마도 나는 많은 사랑을 주고받음으로써 스스로를 사랑하는 방법을 배운 것은 아닐까 생각한다. 그래서 나도, 감자처럼, 앞으로도 열심히 클 것이다. 어떠한 새로운 잎이 나올지 어떠한 모습으로 가 있을지 기대하면서 지금도 지내본다.

가녀린 올리브나무가 언젠가는 나무가 될 것을 기대하며, 나라는 나무는 어떻게 자랄까 궁금해하며 오늘도 덕후는 사랑으로, 사랑하며 자란다.

덕후 일기 엿보기

2023년 1월 20일

팝업스토어를 갔는데 너무 행복한 시간을 보냈다.

멤버들이 다녀온 전시 공간을 나도 다녀왔다는 사실이
그렇게나 그렇게나 신났다. 얼마나 신났냐면, 찍은 사진마다
예쁘게 나왔다. 어느 사진을 봐도 활짝 웃고 있었다. 흥분한
표정을 감출 수가 없었다.

멤버들이 남기고 간 메시지를 찾는 것도, 애들 사진과 그림이
잔뜩 있는 공간에서 사진을 찍는 것도, 내 주변에 있는 모든
사람이 애들을 좋아하는 사람이라는 것도 너무 기분이
좋았다.

전시관 벽에 "행복하길 바라 :)" 하고 예쁜 메시지를 남긴
올바른 맞춤법의 사나이로 인해서 너무 행복했다. 두꺼운
펜의 무게에서 느껴지는, 자신감이 넘치는 사인과 멘트, 모든
것이 너다워서 그렇게 기분이 좋았다.

2023년 1월 16일

망했다.

M이 긴 다리를 자랑하며 성큼성큼 무대에 오르자마자 입이
저절로 벌어졌다. 이 사람을 좋아하고 나서 나 과연 평범한
사람을 좋아할 수 있을까

진짜 망했다는 생각이 들었다. 망해따.

저런 사람을 좋아하고 나서 누굴 좋아할 수 있어….

내 인생은 누가 책임져 진짜 ㅠㅠ

2023년 2월 11일

내 사랑이 너에게 부적절하게 닿지 않았으면 좋겠다는 말을 수시로 했는데, 그건 아마 불가능한 일이라서 그냥 계속해서 마음속에 맴도는 말이었나 봐. 그럼에도 불구하고 이 마음이 사랑이 아니라면 무엇이겠어. 나는 그냥 조금은 부적절한 마음도 인정해 주기로 했어. 부적절하지 않으려고 고민하는 상황에서도 너를 적절하게 사랑하려고 하는 내 노력 자체가, 사랑 없이는 불가능한 일이지 않을까, 싶어서.

이렇게 너를 보내고 나면 나 조금은 더 건강한 사랑을 할 수 있지 않을까 정말 마음속 깊이 바라봐. 그건 아마 너도 기뻐하는 일이 되지 않을까 생각해 봐. 너무 좋아해서 1년이 넘도록 존댓말만 썼는데, 이젠 반말도 쓰는 나는 이미 조금 성장한 것 같잖아!? 아마 잘할 수 있을 거야. 너는 언제나 그랬듯이 잘할 거고, 나 말이야. 나 잘할 수 있을 것 같아.

2022년 11월 8일

보고 싶다고 너무 자주 말하고 있다. 이제는 그냥 관성적인 것일까. 하고 싶은 말이 이게 아닌데 그런 마음이 아닌데도 습관적으로 그러는 것일까. 마음이 난리가 난다. 그런데 거짓말이 아닌 것 같다. 거짓말이면 이렇게 지낼 리가 없다.

(인원이 한정된 팬미팅에) 너무 가고 싶다. 랜덤 추천 자리에 앉아서 나도 애들이랑 얘기하고 놀고 싶다… 다 할 수 있으면 좋겠다… (응모하기 위해서는) 여기저기서 돈을 꺼내 써야 한다. 덕질 통장은 기본이고, 붓던 적금도 깨야 하고, 주식 통장에서도 빼 오고, 여유 통장에서도 빼 오고, 최대한 예금 통장은 안 건드리려고 머리 쓰고 있는데 진짜 돈 쓸 구멍 다 떨어진 것 같다.

그럼에도 불구하고 꼭 됐으면 좋겠다. 어쩌면 (군 입대 전) 마지막… 추억이 될지도 모른다. 그리고 11월 말에는 엄청 바쁠 것이기 때문에, 미리 나를 위한 선물을 준비해 둔다. 가서 울지만 않았으면 좋겠다. 도전해 볼 것이다.

2023년 3월 5일

"그 많은 날 동안 후회했던 날은 없어?"

오래된 팬한테 네가 했던 질문을 기억해.

만약 내가 그런 질문을 들었다면 이렇게 대답했을 거야.

후회보다는 슬펐던 날이 많아.

닿지 않은 마음을 품고 있어서, 전달할 수 없어서 슬펐고

네가 알려주지 않는 슬픔에 대해서는 위로해 줄 수 없는 사람이라서 아쉽지.

보여주는 모습이 진짜인지 가짜인지 모르는 상태에서도 너를 사랑할 수밖에 없어서.

네가 너무 좋은데 더 자주 볼 수 없어서 슬플 순 있어.

하지만 후회는 없어. 네가 주는 기쁨이 너무 커서 슬퍼할 수가 없어.

고마워, 그래서 나는 그냥 고맙기만 할 뿐이야.

작가의 말

책에 대한 부담이 과도하게 높아져 잘 쓰지 못하며 지지부진하고 있을 때 상담 선생님께 가서 얘기하다가, 작가의 말을 써본다고 생각하고 한번 말로 걱정되는 것들을 향해 선포하라고 조언을 해 주셨다. 나는 길게 생각하지 않고도 주절주절 얘기하기 시작했다.

내가 이 책을 쓰는 이유는 아이돌 덕질을 하면서 일어난 엄청난 변화들을 기록하고 싶어서이고, 그 많은 용기와 변화를 이뤄낼 수 있게 해준 나의 덕질 대상들에게 감사를 표현하기 위함이다. 누군가는 아이돌 덕질하는 우리를 보고 우습고, 쓸데없다고 바라볼 수 있겠지만 사실 우리 개개인의 얘기를 듣고 알게 된다면 절대 그렇게 함부로 말할 수 없을 것이라고 말하고 싶다. 우리의 얘기에 조금만 더 귀 기울여 준다면 이 덕질이 생각보다 진지하고 무겁다는 것을 알게 될 것이다. 가벼운 취미일 수도 있지만 적어도 나에게는 꽤 진중한 과정이었고 지금도 진행 중인 것이라 말하고 싶다. 이 책을 쓰는 이유가, 사실은 나를 좀 증명하고 싶고 오해받고 싶지 않아서라는 걸

깨닫는다. 그런데 가장 큰 오해의 소리는 스스로가 만들어 스스로에게 하고 있어서, 이 책을 쓰면서는 스스로에게 쌓인 오해를 푸는 시간을 가졌다.

무엇보다, 알게 된 사람들과 함께하게 된 덕후 친구들에게 감사의 마음을 전하고 싶다. 당신들 없었으면 내가 이렇게까지 많은 경험을 하지 못했을 테니, 내 성장은 그대들 덕이기도 하다. 서른이 넘은 딸이 뒤늦게 탈선하는 것을 묵묵히 지켜봐 주는 부모님과 미쳐 날뛰는 누나를 받아준 윤재 그리고 이해하지 못할 감정들을 늘어놓는데도 늘 진중하게 듣고 공감해 주려고 노력한 윤정이에게도 고맙다. 그리고 존재 자체만으로도 감사한 최고 친구 유정이에게 감사하다. 나를 꾸준한 성장으로 이끌어 준 한솔 선생님과 나의 성장을 묵묵히 바라봐 준 보리님께도 감사를 전하고 싶다. 그리고 이 책의 오탈자를 고쳐주고 아름다움을 만들어 준 예경 편집자님께, 나의 기도 응답이 되어줘서 감사하다고 말하고 싶다.

마지막으로 이 책을 쓰게 해준 나의 덕질 대상들에게, 지금은 가장 내 마음의 크게 자리 잡은 민혁이에게 이 책을 선물하고 싶다. 나의 동기가 되어 준 사람에게 용기 내어 쓴 이 책이 사실은 구구절절 고맙고 사랑한다는 말이라는 것을 부끄럽지만 고백하고 싶다. 너무너무 고맙고 사랑해요 진짜로. 앞으로도 건강하게 '렛츠고 해피랄까 :D'

곧 만나요!

2023.9.29 윤아킴

덕후는 사랑으로 자란다

ⓒ 윤아킴

발행일 2023년 10월 01일
　　2쇄 2023년 12월 25일

지은이 윤아킴, 편집 주예경, 표지 디자인 최더쿠, 내지 캐릭터 김윤재

발행처 인디펍
발행인 민승원
출판등록 2019년 01월 28일 제2019-8호
전자우편 cs@indiepub.kr
대표전화 070-8848-8004
팩스 0303-3444-7982

정가 9,000원
ISBN 979-11-6756428-3 (03810)